布蘭登·山德森 ──故事原著

林雅儀 ──譯

# BRANDON SANDERSON'S
# WHITE SAND

## A COSMERE GRAPHIC NOVEL

【編輯說明】
本中文版為收錄《白沙》新版合集（*Brandon Sanderson's White Sand Omnibus*）之內容。

**故事：**
Brandon Sanderson

**草稿：**
Rik Hoskin
Isaac Stewart（序言＆白沙祕典）

**繪圖：**
Julius Gopez（第一～十一章）
Julius Ohta（第十二章）
Fritz Casas（第十三～十八章）
Nabetse Zitro（新版序章、封面線稿＆排版）
Justyna Dura（新版封面上色）
Ben McSweeney [1]（白沙祕典）
Dan dos Santos（部分黑白插圖）

**上色：**
Ross A. Campbell（第一～六章）
Morgan Hickman（第七～八章）
Salvatore Aiala Studios（第九～十八章）
Nabetse Zitro & Salvatore Aiala Studios（序曲）

**上字：**
DC Hopkins（序曲、第七～十八章）
Marshall Dillon & DC Hopkins（第一～六章）

**編輯：**
Rich Young（第一冊）
Anthony Marques & Joseph Rybandt（第二冊）
Joseph Rybandt（第三冊）
Isaac Stewart（合集）

**初始角色設計：**
Cassandra James

**書籍設計：**
Jason Ullmeyer（第一冊）
Cathleen Heard（第二冊）
Alexis Presson（第三冊）

---

1. 編注：班・麥斯威尼，他也是布蘭登・山德森其他作品如「迷霧之子」、「颶光典籍」、「天防者」
等系列的內頁插畫師之一。

# 致謝

為了這本《白沙》圖像小說合集，我們想要對歷年來給予回饋的所有人致上謝意。我們認真細看了評論、論壇、部落格回應和Reddit網站上的貼文，深切感受到人們對於原版的接受程度，並深入探尋我們還可以改進之處。

感謝Nick Barrucci、Joseph Rybandt及他們在Dynamite的團隊，在我們進行新調整時所展現的耐心。Cathy Heard不遺餘力地為我們取得原檔，還引導了印刷工作。Rik Hoskin，一如往常，不僅是個優秀作者也是位了不起的人。Joshua Bilmes、Valentina Sainato、Christina Zobel、Susan Velazquez和所有JABberwocky作家經紀公司的員工自始至終都十分優秀。

此外，還有一群才華洋溢的試讀者幫助這個故事更臻於最佳狀態：Danielle "FelCandy" Prosperie、Eric Lake、Ian McNatt、Drew McCaffrey、Ravi Persaud、Danielle Cleaver、David Behrens、Jennifer Neal、Matthew Murphy、Deana Whitney、Bao Pham和Mark Lindberg。Rachel Lynn Buchanan記錄了未出版的小說手稿和合集之間所做的許多修改。我們也想特別提及Evgeni "Argent" Kirilov和Joshua Harkey，他們組織並主持了線上試讀者的討論，以及提供有用的意見。Joseph Jensen博士幫忙找到了方法來解釋泰爾丹不尋常的天文物理學。Kristina Kugler在校訂方面維持了一貫出色的表現。我特別感謝Peter Ahlstrom及時的建議。謝謝你們所有人！

Dan dos Santos的插圖（編注：部名頁之後的黑白人物插畫）既漂亮又讓人回味無窮——多麼巧妙地運用了御沙術啊！而Jian Guo根據原版繪製出一張令人驚嘆的地圖，我們很榮幸能繼續和他合作。這一版本的封面是由Nabetse Zitro所畫，再由Justyna Dura上色——謝謝你們兩位為坎頓與克里絲畫了如此不同凡響的畫像。

提到要幫美術本身做調整時，Dan Stewart和Ben McSweeney簡直是救星。最後，非常感謝所有陸續為這個世界注入生命的繪師，包含：Julius Gopez、Julia Ohta、Fritz Casas、Cassandra James和Nabetse Zitro。

# 引言

布蘭登·山德森（故事原著作者）

二十多年前，我坐在南韓一輛公車的後排座位上，在素描本上潦草地寫下某[個]世界的構思。當時的我是個很不一樣的人。那時我從未完成一本書，而且唯一寫[完]的短篇故事嚴重缺乏獨創性。但我知道自己喜歡寫作，我知道創作、故事和憑空[的]創造很吸引我。那時是大學時期，我前一年才因為在我那裝著 DOS 系統的電腦上[打]字，寫下那些短篇故事而忽略了課業。雖然故事滿爛的，但我以它們為榮。

而現在我想要做更大、更恢弘的東西。我想寫出具有真實感的世界。在韓國[擔]任傳教士時，我雖然沒有太多時間，但還是為這個概念付出了許多努力，並最後[將]這個概念命名為《白沙》。

這個故事始於一個想法：一群人穿過一座單調的白色沙漠，他們驚訝地發現[有]一隻手從沙裡伸出來。他們往下挖，發現有個人被埋在沙丘下，而且此人還活著。

這小小的靈感火花開啟了我的現代寫作生涯，它往前猛衝，迸發出這個構想[：]一個被困在兩顆恆星之間的世界，其中一顆恆星明亮而無所不在，另一顆則是小[小]的，且因某種天文異常現象而發出奇怪的光芒。我繼續延伸這個想法，興奮不已[，]然後開始動筆。

然而三年之後的成果……嗯，不怎麼樣。點子是還不錯，但對新手作家而言[，]要擺脫前人影響是有難度的。《白沙》初稿有一部分是《沙丘》，一部分是《時光[之]輪》，另一部分則有《悲慘世界》的影子。它還有典型的小說第一集結局——也[就]是根本沒有結局。不過我寫得夠多了，於是我想，「啊，好吧，我猜我就寫到這[為]止。」

但那些點子……裡面很多點子是名副其實的山德森風格，而這些雛形後來成[為]了我在奇幻界的標誌：引人入勝的魔法、生動的場景，以及被困在不同世界衝突[局]之中的角色。我沒辦法放棄《白沙》。所以，好幾年後，我再度嘗試。

完成《伊嵐翠》（我的第 6 本小說）後，我再度回到《白沙》，決定再給它一[次]機會。這一次，身為一個更有經驗的架空世界創造者，我問了自己一些問題。我[可]以創造出一個不像是厄拉科斯或塔圖因[2]複製品的沙漠星球嗎？我可以創造一個充[滿]鮮明對比、有著有趣動植物的世界嗎？我可以讓角色弧線[3]和故事劇情相呼應嗎？

整體而言，我成功了。這本書結果還不錯，但當時我還沒有任何作品出版[，]要好幾年我才會賣出我的第一本書，而那時我對撰寫《迷霧之子》最感到興奮。[這]意味著《白沙》只能繼續苦等了。我一次又一次地跟人們說，《白沙》是我未出版[的]

小說中寫得最好的——但似乎一直沒有出版的好機會。

就在那時，Dynamite出版社來找我，問我說是否——或許——我有未出版的書能夠成為一本不錯的原創圖像小說。

我可以很誠實地說，與他們合作完成這個故事，是我職業作家生涯中最收穫滿滿、讓人興奮的經驗之一。與瑞克（Rik）合作是個非常愉快的經驗，他是決定要把這本小說改編為圖像小說的作家——他幫我們解決了這本書先前遺留下來的問題，還把它簡化成圖像小說的形式。繪師朱理斯（Julius）讓御沙術變得栩栩如生、躍然紙上。在我所有的魔法中，御沙術在本質上是最具視覺效果，也是最適合改編成圖像小說的魔法。

這個故事終於能與讀者們見面了，我對此深感欣慰。從它簡樸的素描本起點開始，到這本氣勢非凡的圖像小說成品，這個故事經歷了相當長的旅程才得以到達你們手中。我帶著無比的喜悅和榮耀，終於能向你們介紹《白沙》。我的第一本小說，第三次重生的版本。

# 前言

艾薩克・史都華（Isaac Stewart，龍鋼娛樂藝術總監）

2019年5月，一個和煦的春日傍晚，布蘭登和我在柏林的御林廣場附近吃晚餐。我們才剛結束Heyne出版社舉辦的《引誓之劍》德國巡迴，吃著德式炸肉排和香腸，談話內容從德國美食轉換到我們在龍鋼最愛的話題——寰宇。

聊著聊著，我們意識到克里絲的故事還沒結束。《白沙》其實只是她故事的序曲。如果我們想要繼續她的旅程——無論是以漫畫或散文形式——都必須在圖像小說裡為她提供加強版的寰宇基底。這本合集給了我們機會，讓我們加入更多克里絲的故事，同時也根據讀者多年來的回饋，對其餘頁面做了調整。

在原版發行時[4]，瑞克、瑞奇（Rich）、喬瑟夫（Joseph）和整個Dynamite團隊就做出了一本很棒的圖像小說，我們站在他們的肩膀上完成了這本更新版合集，希望你們會像喜歡原有的內容一樣喜歡新增的內容。我很榮幸能當第一個歡迎你們回到泰爾丹的人。

---

2. 厄拉科斯（Arrakis）為小說《沙丘》中的沙漠星球；塔圖因（Tatooine）則是電影《星際大戰》裡的沙漠星球。
3. character arc，即角色在故事過程中的成長發展和心境轉變。
4. 即 2016 ～ 2019 年以三冊發行的版本。

# 詞彙表

**Aisha! 艾夏的！**
感嘆詞，意為「白沙啊！」或「沙之主！」。

**A'Kar 艾卡**
高等祭司與可林信仰的領導者。

**a'keldar 艾可達，複數型為艾可達林（a'keldarin）**
大型沙狼，可達（keldar）的表親，可達的複數型為可達林（keldarin）。

**ashawen 艾沙溫**
一種暗色、味道強烈的克茲塔香料。

**DaiKeen 戴金**
可林教信徒加入的家族式團體，加入後會在額頭上佩戴所加入氏族的符號。

**DelRak Naisha 戴蚋克奈沙，複數型為戴蚋金（DelRakin）**
一種會躲在沙下並等待獵物踩到牠身上的深沙蟲。

**deep sand 深沙區**
日面上危險的區域，在此區沙蟲可以長到巨大的體型，而多苓藤則生長在沙下深處，無法當作水源。

**The Diem 日殿**
御沙師天職，同時也指御沙師居住的建築群。

**DoKall 多卡液**
一種可以使沙蟲甲殼逐漸產生防水性的物質。

**dorim vines 多苓藤**
一種可以在克拉沙下找到、富含水分的藤蔓。

**KaDo and Kamo 卡多與卡莫**
稀有的克茲塔香草與辛香料。

**KaRak 卡蚋克，複數型為卡蚋金（KaRakin）**
一種供打獵娛樂用的巨大沙蟲。

**Karshad 卡沙德語**
可林教祭司所使用的語言。

**KelThrain 凱爾日瑞安**
橫跨凱薩雷城和凱爾辛區之間的主橋。

**Kelzi 凱爾茲，複數型為凱爾辛（Kelzin）**
落沙的上層階級。

**Ker Kedasha 克可達沙**
帳篷城，克茲塔首都。

**the KerKor《可蔻經》**
可林教宗教經典。

**Kerla 克拉**
位於日面的遼闊土地，生命與水源在沙下蓬勃發展。

**Ker'Naisha 可奈沙**
克茲塔語的「沙之主」。

**Ker'reen 可林教**
克茲塔的國教，注重嚴格信奉沙之主及其律法。

**Kerzta 克茲塔**
日面最大、工業最進步的國家。

**Kerztian 克茲塔的／人**
和克茲塔有關的事物，或來自克茲塔的人。

**Kezare 凱薩雷**
落沙首都。

**Kli 可禮，複數型為可禮恩（Klin）**
由可林教教會授予的頭銜，可世襲繼承。

**lak 拉克**
在日面所使用的礦石幣。

**Lonsha 勍沙**
克茲塔語，意指來自暗面的人。

**Lonzare 勍薩雷**
凱薩雷裡由暗面人與落沙人共同建立的行政區。

**Lossand 落沙**
日面第二大的國家。

**Los'seen 落辛教**
敬拜沙之主的寬容哲學教派。

**Lraezare 勒瑞薩雷**
落沙南邊的港口城市。

**Napthani flame 內薩尼之火**
昂貴且難取得的爆炸性物質。

**Nor'Tallon 諾塔倫**
塔倫的首都。

**overmaster 過度操御**
常御沙師脫水太嚴重，導致他們失去御沙的能力。

**overburn 過度燃燒**
當御沙師將體內最後的水和生命施予沙子，以換取最後一次具強大爆發力的御沙術。此舉十分危險。

**qido 契多，複數型為契多殿（qidoin）**
一種彎曲、像角的水壺。

**Reven 雷溫**
希維司（Seevis）之王。

**Rim Kingdoms 外緣諸國**
泛指位於日面西北方山脈之外的國家。

**Ry'Do Ali 瑞多阿里**
克茲塔語，意為「受詛咒的水脈」（The Vein of Cursed Waters），貫穿落沙中部的河流。

**Ry'Kensha 瑞肯沙**
「受詛之人」的克茲塔語，指御沙師。

**Senior Trackt 資深追警**
類似警長或警監。常被稱為「前輩」。

**shalrim 沙苓**
一種植物，其纖維可以織成柔軟的衣物。

**Taisha 塔沙，複數型為塔辛（Taishin）**
落沙的管理機構「塔辛委員會」的成員。

**terha 拓哈，複數型為拓罕（terhan）**
身形比苓施獸更大，速度也更快的沙蟲，是戰士們喜愛的坐騎。若每月噴灑多卡液，其甲殼會變得難溶於水。

**terken 拓殼**
對御沙術免疫的意思。

**tonk 苓施獸**
日面能夠背負重物的野獸。

**trackt 追警**
落沙的員警。

**traid'ka 崔德卡**
克茲塔語，意為好運。

**ZaiDon 宰東**
由沙蟲做成的柔軟、有嚼勁的肉乾，可與大部分日面主食一起食用。

**zensha 憎沙**
克茲塔語，意為叛徒。

**zinkall 辛考，複數型為辛考林（zinkallin）**
在日面使用的一種氣動飛鏢槍。

**Zo'Ken 左肯**
御沙師練習打靶的遊戲。

## 天文

伊里斯（Elis）的天文學家透過觀察星體運行，製作出我們星系的模型。日面（Dayside）的學者僅僅仰賴月球的運轉，因而導致他們的理解出現巨大漏洞。

瑞多斯

粒子雲

之眼

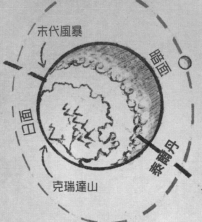

末代風暴

暗面

月亮
（尼茲達）

日面

泰爾丹

克瑞達山

太陽（艾斯達）

縱使有了星體的優勢，仍有一大部分的謎題是我們伊里斯人無法理解的。就我所觀察到，至少有三個證據顯示幕後有未知的力量悄悄地推動一切。

首先，天文學家迪喬延（Djodjen）藉由觀察繞著瑞多斯之眼運轉的衛星，發現了穩定與不穩定的軌道。明眼（The Eye）繞著日面太陽穩定運行，但泰爾丹並非如此。泰爾丹被困在一個不穩定軌道上，迪喬延將其稱為䶉熊（Wombear）的鞍座 —— 如果你把一顆彈珠放在鞍座上，彈珠會往其中一側滾動。然而，泰爾丹受明眼拉動，因此不會滾入穩定的軌道。泰爾丹要以這種方式被困在軌道上，代表著有另一種我們仍不了解的外在力量存在。

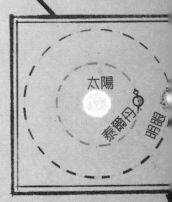

太陽

泰爾丹

明眼

從日面克瑞達山觀看到的月相

從暗面觀看到的反面月相

第二，日面與暗面的一「天」，皆是以月亮的軌道週期為基礎。在暗面上，籠罩著明眼的粒子雲每隔七天會發出一次脈動，分秒不差。脈衝之間的時間差和月亮的七軌道週期完全符合，難道只是巧合嗎？幾乎像是說好的一樣。

第三，迪喬延對繞著明眼運行的衛星進行觀測，證明了泰爾丹的月亮軌道有多麼奇特。當泰爾丹繞著太陽轉，月亮的運轉軌道也應該逐漸改變，而它卻保持不變。舉例來說，無論日、月、年，在凱薩雷（Kezare）的一時辰，月亮都處在天空中的同一個位置，非常一致。

對一輩子生活在泰爾丹上的人來說，泰爾丹的天體排列似乎再正常不過了。然而，我沒辦法忽視這些異常現象所代表的含意。還需要更多觀察

# 計時系統

雖然日面與暗面將同樣持續的一段時間都稱為一「天」,但兩者計算分鐘與小時的方式卻有所不同。

日面的一天有十五小時,每小時九十分鐘。暗面的一天則有二十四小時,每小時六十分鐘。換句話說,日面一個時辰的九十分鐘,等同於暗面的九十六分鐘。

伊里斯時鐘

日面時鐘

月針指的是時辰,
另一支指針指的是分鐘。

| 日面時辰 | 塔辛標準時間 | 暗面時間 |
|---|---|---|
| 第一時辰 | 超過就寢時間 | 午夜 |
| 第二時辰 | | 凌晨 1:36 |
| 第三時辰 | | 3:12 |
| 第四時辰 | | 4:48 |
| 第五時辰 | 可林教 (Ker'reen) 晨禧 | 6:24 |
| 第六時辰 | 標準工作日開始 | 8:00 |
| 第七時辰 | | 9:36 |
| 第八時辰 | | 11:12 |
| 第九時辰 | 午餐 | 午後 12:48 |
| 第十時辰 | | 2:24 |
| 第十一時辰 | | 4:00 |
| 第十二時辰 | 標準工作日結束 | 5:36 |
| 第十三時辰 | | 7:12 |
| 第十四時辰 | 可林教晚禧 | 8:48 |
| 第十五時辰 | 標準就寢時間 | 10:24 |

要注意的是,這些計時方法的變化取決於幾項因素,包含所居住的國家或社區,有時候取決於天職 (Profession),甚至是當地的月升月落時間。但整體來說,塔辛標準時間正逐漸普及,在克茲塔 (Kerzta) 境內亦然,即使他們往往不願採用任何起源於落沙 (Lossand) 的制度。

# 貨幣系統

| | | |
|---|---|---|
| 1/2 拉克 | | 1 灰色拉克 - 花崗岩 |
| 1 拉克 | | 1 藍色拉克 - 藍白大理石 |
| 5 拉克 | | 1 綠色拉克 - 玉 |
| 10 拉克 | | 1 紅色拉克 - 虎眼石,或紅碧玉與黑色赤鐵礦 |
| 20 拉克 | | 1 白色拉克 - 白色大理石 |
| 50 拉克 | | 1 金色拉克 - 琥珀 (有時是其他金色寶石) |
| 100 拉克 | | 1 銀色拉克 - 赤鐵礦,一種稀有的日面寶石 |

日面的貨幣系統並不是以貴金屬為基礎,和伊里斯的冠幣 (Crowns) 與王朝的君幣 (Dynars) 不同。日面使用的是稀有又貴重的半寶石,將其切割成被稱作拉克 (Iak) 的圓形「硬幣」。

所有日面國家在不同程度上都會使用拉克。外線諸國 (The Rim Kingdoms) 的經濟幾乎完全仰賴拉克,但越靠近克茲塔,以物易物的接受程度就越高,即使拉克仍是交易首選。

我不得不養成日面人以顏色稱呼拉克的習慣。如果沒有特別說明顏色,則通常是指藍色拉克。

一個薪資豐厚的中上層工匠一天的薪水大約是兩百五十拉克,約等同五十綠色拉克,或二十五紅色拉克。在克拉 (Kerla),由於土地被深埋在一百呎沙塵之下,在那裡的金屬與礦石價值不菲。因為克茲塔與落沙之間的貿易往來,現今這兩種材料已經沒那麼稀有了,但一小包鋼依然可以帶來可觀的利潤。

序幕 PROLOGUE

聯繫

先生們，我真的很感激這一路有你們相伴。

我還以為我們會從世界的邊緣掉下去，就像故事中說的那樣。

迷信就留給**伊埃立亞**人吧。

我還期望一個**人類學家**能更尊重別人的文化和信仰呢，瓊恩。

說得好！

**伊埃立亞**，一個位於暗面北方的國家，也是王朝的所在地。

我還沒找到婉轉的方法來問貝昂：在王朝律法明定禁止跨越邊界的情況下，像他這樣的伊埃立亞人，是怎麼成為伊里斯軍人的？

貝昂，最糟的情況是我們的船被捲入錯誤的洋流，然後被帶回暗面。

我知道。

尊貴的女士，請容許我將您的注意力轉移到我們士兵身上。

他們好像發現了幾把槍。

你們的命令是要把槍藏好。

有什麼關係？日面人根本就不會知道這些是什麼。

士兵，把它收好。

如你所願，**隊長**。

我以為我下令不要帶槍械。

沒錯。

然後呢？

我忽略您的命令。

我們正航向未知的大陸，公爵夫人。您真的期望您的士兵放棄我們唯一的優勢嗎？

除非日面人自己研發出火藥，否則拿到我們的槍械對他們也沒什麼益處。

有道理。謝謝你，貝昂。

但是……

你打算忽略我所有的命令嗎？

不是的。

只有那些愚蠢的命令。

好好盯著他們三個。芬尼德手裡持槍這點讓我怪不安的。

**對此我們想**法一致。

我其實懷疑我們會用到槍。

您很樂觀，那很好。但您付我錢是要我做相反的事情。

謝謝你，

沒問題，公爵夫人。

貝昂……我可以獨處片刻嗎？

親愛的克里絲薩拉公爵夫人……

我向骨拉、瑞多斯和七神祈禱，希望這個消息能盡快傳達給您。

此話沒有婉轉的說法，但您的未婚夫，國王之子蓋夫登王子已薨逝。

在他死前，他請我向您傳達這個消息。我們在落沙找到了沙巫。他們可能就是關鍵，能幫我們擺脫王朝對我們摯愛的伊里斯的箝制。

時間不多了，但即使我與王子一起走向死亡，至少我倒下前已把拯救我們王國的知識送到了您的手中。

願七神指引您的道路，願星辰照亮您的方向，願您的星痕閃耀燦爛。

——威罕，已故蓋夫登王子之語言學家暨輔佐官

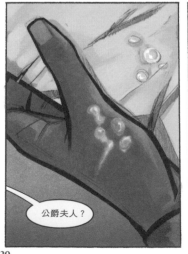

您總是在以為沒人注意到的時候閱讀那封信。

公爵夫人？

20

這是最初通知我蓋文死訊的那封信。它提醒了我**為什麼**要冒險前往日面。

你們暗面一隅的命運掌握在教授與科學家手中。願神保佑你們。

你知道在伊里斯，我們以前叫它**星面**，而不是暗面嗎？王朝還沒征服我們，但你們的語言和文化已經開始入侵了。倘若我的人民要生存下去，我必須找到**方法**阻止史卡森。

我們需要武器。史卡森有著星刻大軍。日面人**一定**有類似的力量。蓋文是這麼相信的——**就是那些沙巫**。

星痕在日面沒有用。如果日面真的有相當於星痕的力量，那麼它在您家鄉可能也起不了作用。

也可能沒有強大到能保護你們免於史卡森皇帝和他軍隊的侵犯。

我們會找到那些沙巫的，貝昂隊長，而且神聖的，我們會拯救伊里斯。

我敬佩您的決心，公爵夫人……

……但我對於那些沙巫的存在深感懷疑。

滿滿沙粒從我
指尖流過。

我展開
思緒。

建立聯繫。

我喚醒了沙子的生命。

命令沙子變成螺旋形，好推動我的沙板，讓我前進更快。

耶耶耶！

我可以控制一條沙帶。

特雷本可以控制十五條。

所以，儘管我的**技藝**高超，無人能及……

……像特雷本這樣的宗師擁有更多**純粹**的力量。

這就是為什麼我又要幫他付午餐錢了。

以及為什麼我父親——御沙師領袖——拒絕讓我晉升成為日殿最高階級——宗師——的原因。

我們才不是沒用呢。我們保護落沙，免受克茲塔的侵擾。

然而我們卻在這裡，距離我們發誓要保護的國家有一百哩遠。對一個武裝部隊來說，我們的思考方式實在一點也不像軍隊。

我們已經好幾百年沒和克茲塔打仗了。

你說得沒錯，我的朋友。我們之中根本沒人知道戰鬥時該怎麼辦。

你記得我家裡以前養的沙狐嗎？

史庫琪？記得啊，牠是隻很棒的守門狐呢。牠後來怎麼了？

變得又胖又懶。牠幾乎無法在家裡走動，更別說保護我們家了。

某天早上我在小巷子裡發現牠，牠死了。和一隻艾可達打架輸了，因此被撕成碎片。

城裡有沙狼？以前從沒發生過。

我知道你想改變事情，坎頓。但說真的，他沙的誰夠有力量能與日殿抗衡？

我們就像沙狼，而不是沙狐。

我真心希望你是對的，我的朋友。

嘿，勵沙！

唉，是幾個德萊歐的小跟班。

你讓他們這樣叫你？

唔，我**的確**是半個暗面人。至少他沒說錯。

嗨，伊登少師、莫莉次少師。你們過得好嗎？

你的窩囊朋友戴林學從，宣稱你的沙帶是整個日殿中最快的。

但很有趣的是，我們有些人不相信。

滾回德萊歐身邊吧，你這個苓施獸。

不，沒事的，特雷本。

伊登，你想幹嘛？

很簡單。二十五紅拉克賭你在**左肯**上打不贏我。

二十五紅拉克——上層職業一天的薪水。賭注很高。但比起礦石幣，挑戰更吸引我。

沒問題。

等等。你不是才說了沒用的人和什麼廉價把戲嗎？

\*嘟嚷\* 果然不放過任何出鋒頭的機會。

告訴我，伊登，你可以控制幾條沙帶？

艾夏的。難怪你是個少師呢。

別太自以為是了，黝沙。

九條。

在你選擇靶子數之前，如果沒警告你就太不公平了，即使我是日殿中的笑話……

……我用一條沙帶能做的事，比任何一個宗師的二十條沙帶還多。

他當然可以囉。

我選九個靶子，醜沙臉。快一點。

你認真？一條沙帶只配一個靶子？

你只是想讓我過度操御，然後失誤。

我只是說說……

好！

就十個靶子！

準備好了嗎？

拉吧！

5. 原文為：「Do'Kedash A'Ken, Do'Kun A'Keldarin.」

第十九天。我們在日面的多沙賀肯港口靠岸了。

托斯大兵，請看顧我們的行李。貝昂、芬尼德和教授們，和我一起去找補給吧。

瓊恩‧艾奎恩，你的假設是正確的呢。這裡幾乎沒什麼先進科技的證據。

刀劍……我們是有槍沒錯，但如果事態變得需要動武，我們該怎麼辦？

可憐啊……這裡的顏色太……單調了。而且他們還在刀劍時代。

我想下場不會太好。您的士兵在打鬥中一無是處，無論有沒有手槍。

貝昂說得沒錯。伊里斯軍隊並不以軍力聞名。我們之所以能維持獨立，靠的是要政治小聰明和優越科技，而且我們的國家太小，根本沒人想征服它。直到最近。

比起保護我們免受日面人的傷害，槍械是要幫我們通過王朝的封鎖。

我們應該要送他們回暗面，這兩人會帶來麻煩。

辛德，是時候了。我們來見識一下過去這五百多年間，語言改變了多少。

而你不會？

公爵夫人，我是您會希望和您站在同一邊的那種麻煩。

這次問一下有關沙巫的事，或至少問出能買到落沙地圖商店的方向。

伊瑞沙塔卡沙，艾達卡沙，里喜思可奈沙圖塔。[6]

**艾夏啊！**

我不知道怎麼了，尊敬的女士。一開始他們好像能聽懂我說的話，但他們最後都落荒而逃。

這樣不行……

我得穿不一樣的衣服才行。在暗面，這裙裝算是保守的了……

的確，您穿得像我母親呢。

順帶一提，也許您會想要多多注意您的人類學家。

艾奎恩看似不在乎我們無法與當地人直接溝通，也是情有可原。

王朝嚴格控制著暗面的出入境，每年只核准少數的伊里斯通行證。雖然艾奎恩以前也拿過通行證，但在這他應該很興奮，能在沒有王朝官員監視的情況下體驗全新文化。

什麼？艾奎恩對語言一無所知，他怎麼會……？

那個店主好像能聽懂他的話。

胥拉的！窗上的標誌是用王朝語寫的。「日面補給與地圖」。

啊呵，更多來自暗面的朋友！你想要補給品，好嗎，朋友？

他說了王朝語……怎麼會？

我不知道。他突然就開始跟我說話。很神奇，對吧？

王朝棒棒，對吧朋友？暗面人常來，逃離王朝。很糟糕，很興奮。需要很多補給品，是吧朋友？

這裡很多好苓施娒，可以幫你扛東西穿越克拉，是吧朋友？而且…

有很大折扣給你。僅此一次。沙裡最棒的嚮導，我的姪子，達茲克。

啊呵！

等等，很多暗面人？有多少？

一艘，也許兩艘船，每週。

胥拉的！那些封鎖應該是滴水不漏的。王朝甚至不允許它的人民跨省移動！他們絕不可能讓這麼多艘船逃離暗面。

我們就成功了。而且並不是太難。

他們不是因為封鎖而死。我們是在偷偷離開伊里斯，穿越王朝土地去海岸時失去他們的。一旦抵達海上，我們幾乎連一艘船也沒看見。

可奈沙圖塔可沙！[7]

我們失去了兩個人！狄瑞隊長和他的中尉是訓練有素的士兵。

文為：「Ker'Naisha'Totar'Kersha!」

# 第一部

---

## PART ONE

## 御沙師

落沙之國有八個主要的天職，有點像同業公會，其中一個便是御沙師之天職，也被稱作日殿。「日殿」所指的不僅僅是御沙師這個天職、御沙師整體，同時也指作為他們總部的建築群。

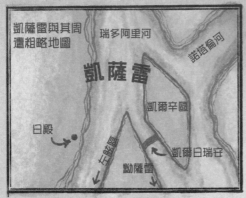

凱薩雷與其周遭粗略地圖

瑞多阿里河

諾塔倫河

凱薩雷

凱爾辛區

日殿

左監區

凱爾日瑞安

勘薩雷

日殿位於瑞多阿里河西側，在凱薩雷主城區之外，主要建在河流分叉處的主島上。

每年，日殿會在克瑞達山腳一處與世隔絕的地點聚集一次，以賦予階級與參加比賽來展示御沙術技巧及力量。

### 御沙師長袍
由沙芬——一種長在沙塵之下的植物——製成。沙芬也是落沙人與克茲塔人交易的其中一種主要作物。

### 契多
一種彎曲、像犄角般的水壺。御沙師們的技藝是由水分來供能，所以會無時無刻隨身攜帶飲水。

### 沙包
用於攜帶剛充能的白沙。

### 紗胥帶
御沙師的紗胥帶顏色代表他們在日殿的階級。

有兩種顏色被排除在御沙師階級之外。想尋求日殿接納的新成員是身穿棕色長袍，佩帶棕色紗胥帶。學從則和御沙師一樣身穿白色長袍，但紗胥帶是白色的，代表他們尚未被賦予日殿的階級。

一旦御沙師被賦予階級，就無法再往上晉升。一旦在培訓中的御沙師——被稱作學從（Acolent）——能控制的沙帶無法再繼續增加時，就代表他們的力量已達極限，可以申請階級。右表是御沙師階級和每階級的御沙師大約能控制之沙帶數量的表格。

| 階級 | 紗胥帶顏色 | 沙帶數量 |
|---|---|---|
| 次分師（Underfen） | 灰色 | 1-3 |
| 分師（Fen） | 綠色 | 2-5 |
| 殿分師（Diemfen） | 藍色 | 4-7 |
| 次少師（Underlestrell） | 紫色 | 6-10 |
| 少師（Lestrell） | 紅色 | 9-12 |
| 次宗師（Undermastrell） | 橘色 | 11-14 |
| 宗師（Mastrell） | 金色 | 15或以上 |

# 克拉

依照暗面的標準，克拉就是一座沙漠，看似缺乏水源和植被。然而，比起沙漠，克拉更像是一座沙之湖。水源、植被和動物群都在地表之下，各有自己的生態系。

對日面人而言，沙漠是既沒有多荂藤生長，也沒有生命居住在沙子表面下方的所在。落沙就是如此，沙子很淺，沒有多荂藤且岩石裸露在外。生長於落沙的植物矮小，牲畜稀少，而為了生存，人類被限制只能在河岸旁的土地生活。在「沙漠」上，一個人的自主性受地區所限制，然而在克拉上，只要知道克拉的規則，便能隨心所欲挑選居住地。

深沙區與克拉的不同之處在於，深沙區的地下水層更深。如果說克拉是沙之湖，那麼深沙區便是海洋——表面平靜，底下卻生氣蓬勃。多荂藤長在地底深處，以至於人類很難找到多荂藤，且沙子的深度也能讓該地區的動物種群成長得更龐大。

## 沙蟲

沙蟲似乎不需要水。事實上，水對牠們而言是有毒的，會溶化牠們的甲殼。牠們演化出一種能吃沙與排氣的方式，有時當這種氣體血液（gas-blood）與空氣產生反應時——就算在沙漠，空氣中還是含有些許水分——氣體血液會凝結成一種軟黏的液體。

沙子是如何提供與人類對水需求量相當的養分，這還沒有明確定論。等我有更多時間做實驗，一定要來好好研究一番。

## 沙蟲種類與體型大小

（括號內為我選用的複數型）

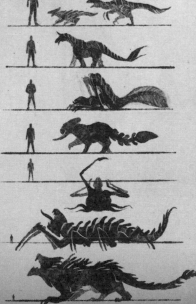

可達（可達林）&
艾可達（艾可達林）

荂施獸

雷薩爾（雷薩爾林）

拓哈（拓罕）

戴蚋克（戴蚋金）

嗎崗

卡蚋克（卡蚋金）

---

### 騎乘荂施獸

荂施獸是會散發出硫磺味的馱獸。在騎乘荂施獸時，需要使用一種木槌去輕敲荂施獸脖子下方的甲殼，藉由敲擊左右兩側使其轉彎。敲擊越大力，轉彎的幅度就越大。如果敲擊的位置往上靠近頭部，荂施獸就會加速。輕敲鞍座附近的甲殼後部可以使其減速，而大力敲擊此部位則可以示意荂施獸停下來。

當荂施獸受到驚嚇時會鑽進沙子裡，只剩甲殼上緣露出來。輕拍未被掩埋在沙中的犄角，便能讓荂施獸知道牠可以安全地從沙中出來。

CHAPTER 1

第一章
不屈不撓

艾洛林次宗師，我請求您贊助我的要求。

艾洛林，他是最待我如師的御沙師。少數幾個時常對我展現善意的上階御沙師之一。

坎頓，你確定要這麼做嗎？

是的，艾洛林，我確定。

你父親的反對很有道理。宗師之路是由一群極度自滿的御沙師，為了力量強大之人而設計的。

曾有宗師在挑戰時不慎身亡。

有關道路的祕密保守得十分嚴謹。相信我，即使我做了很多研究，還是一無所獲。為什麼一條單純通過克拉的競賽會如此危險？因為缺乏水源嗎？陡峭的懸崖？兩者對訓練有術的御沙師而言應該都不成問題才是。對我而言亦然。他們隱藏了什麼？

我了解。

你只能帶一契多的水。要明智使用，而且無論如何，不要過度操御。

水，為御沙術供能的物質。太久沒補充水分的御沙師容易脫水，而且太超過的話甚至有可能會完全失去御沙的能力，如果你沒先死掉的話。

宗師之路。
誰來提醒我一下，我怎麼
會覺得這是個好主意？

我猜是因為我一
直都想在我父
親，也就是宗師
主面前證明自己。

「艾洛林次宗師，
這一位如何？他有
顯露出天分嗎？」

「有的，宗師主。
今年的群體能力
特別好，他也是
其中之一。」

孩子？
告訴宗師主
你的名字。

我叫特雷本，
大人。

抓好沙子，
孩子。用心感受
每一粒沙。

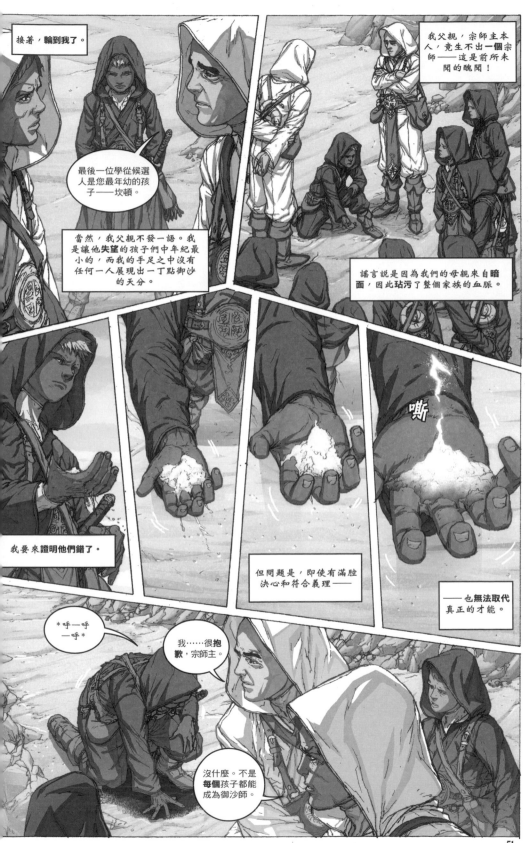

接著，輪到我了。

我父親，宗師主本人，竟生不出一個宗師——這是前所未聞的醜聞！

最後一位學從候選人是您最年幼的孩子——坎頓。

當然，我父親不發一語。我是讓他**失望**的孩子們中年紀最小的，而我的手足之中沒有任何一人展現出一丁點御沙的天分。

謠言說是因為我們的母親來自暗面，因此**玷污**了整個家族的血脈。

我要來證明他們錯了。

嘶

但問題是，即使有滿腔決心和符合義理——

——也**無法取代**真正的才能。

*呼—呼—呼*

我……很**抱**歉，宗師主。

沒什麼。不是**每個**孩子都能成為御沙師。

在……要怎麼往
到另一頭主要的
務徑？我在這下
而浪費太多寶貴
時間了。

沒辦法將自己舉那麼
——那所需的沙量遠
過我能控制的範圍。

但如果我將我的
沙子錨定在岩石
上……

……我就能創造出由一縷
沙連結、提供四肢抓踩
定點。

這最好要
成功！

他在做什麼?!

這種創意力十
足的御沙術需
要很多水分。
我又口渴了。

御沙師應當要能自在
舞動，駕著閃亮的沙
雲橫空而過——而
不是像隻懶散的沙蟲
沿著牆邊慢慢爬！

第三顆圓球！如果我有
足夠力量越過岩溝，
我就會錯過它了。

我搜尋著周圍的景色尋找線索。

但那是什麼？高處有黑沙的痕跡。

受過操御的沙子需要四個小時充能，這代表某個御沙師將圓球藏在此處還不到四小時。

有多條沙帶的話，我就能快速搜遍每個岩石縫隙。但我從自己能力不足當中學到了一件事：有時御沙術不是唯一的解答。

拿圓球需要時間，而我沒時間浪費了。不管我有多努力，我的時間所剩無幾，而且身體也幾乎沒水分了。

學徒學到的第一件事就是隨時確認自己體內的水量，確保他們不會過度操御。御沙師就算只是接近過度操御，都會被嚴厲懲罰。

我的嘴好乾，眼睛灼痛，而這是最後一口水。我的時間不多了。

我錯過最後一顆球了嗎？帕克斯頓會無視我找到的四顆球，只關注我錯過的那一顆。

等等……

難以置信。那是最後一顆球！

看看這個地方！克拉的風得花多少年才能把石頭侵蝕成這樣？

呼！

我原先以為最後一顆圓球會被藏得最仔細，也最難找到。但它就放在這中間……

艾夏的！

……深沙區！

事情不對勁。

很少有人——就連克茲塔人也一樣——會笨到進入深沙區。

非常、非常不對勁。

嘶——

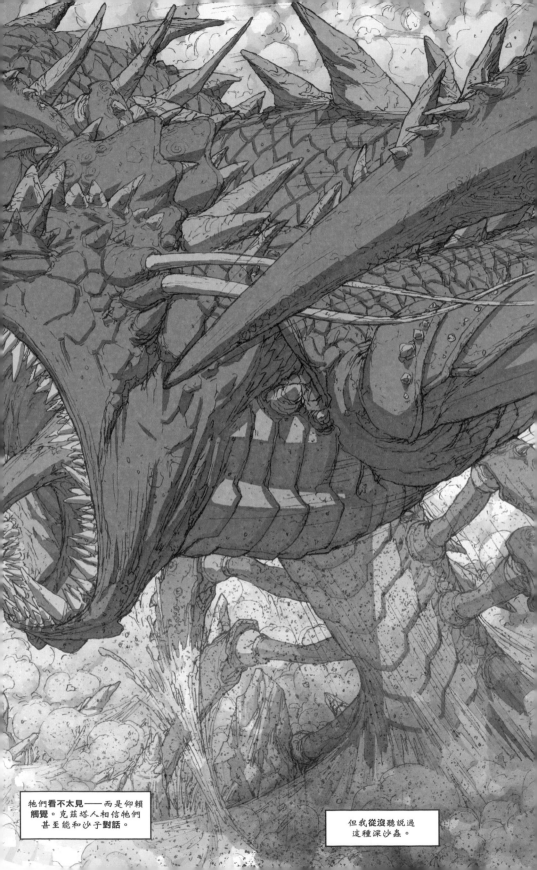

牠們看不太見——而是仰賴
觸覺。克茲塔人相信牠們
甚至能和沙子對話。

但我從沒聽說過
這種深沙蟲。

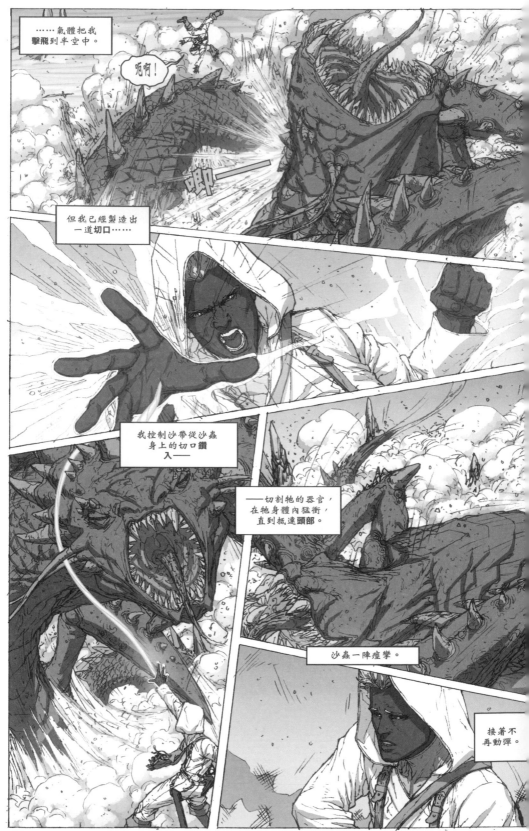

……氣體把我
擊飛到半空中。

呃啊！

但我已經製造出
一道切口……

我控制沙帶從沙蟲
身上的切口鑽
入——

——切割牠的器官，
在牠身體內猛衝，
直到抵達頭部。

沙蟲一陣痙攣。

接著不
再動彈。

第四十三天。隨著我們往東南移動，太陽在空中緩緩上升。太陽越靠近頭頂，似乎就越發炎熱。

說真的，我一生中從未見過這麼多汗水。

幸運的是，有一股微風持續吹來，有助於帶走悶熱的空氣。不幸的是，風也帶來另一個問題——數以千計的微小沙粒。

我灑了幾滴水在荃施歇的角上，角的上半部因而溶化，形成一個好笑的缺角。我感到愧疚，但在那之後還是將牠命名為「缺缺」，而牠似乎很喜歡這些額外的關注。不過我們的嚮導仍舊讓我感到困惑。

我認為達茲克他那位所謂的叔叔，在多沙賀肯多收了我們的錢。

您以為他不會多收嗎？他可能是城裡唯一會說我們語言的人。我們不只付了補給品的錢，還付了他翻譯費。

他至少可以在他「姪子」的嚮導費上給我們一些折扣。說真的，達茲克唯一會說的王朝話是「啊呵」？

啊呵！

CHAPTER 2

第二章

晉升

艾洛林和我很擔心你。你沒有過度操御、**把自己燒盡吧？**

我……我不知道。但你的擔憂是對的，我差點就死在了那裡。

我昏迷多久了？

大概一天。晉升儀式很快就會開始了。

我很感激他們的關心。特雷本是我認識最久的朋友，除了艾利克。但很多年前艾利克就去暗面了，至今還沒回來。

我在日殿裡的朋友——像是特雷本、艾洛林和戴林——幾乎彌補了艾利克的空缺。

難道一直以來都有六顆圓球，而我只是第一個發現的人？

幾乎。

我不懂……第六顆圓球是哪來的？

不，一定是——

嗯哼，特雷本宗師，留意你的四周。

喔，是的，當然。戴林，可以請你通知宗師主他兒子終於醒來了嗎？

好的，宗師。

但是坎頓——根本不該有六顆圓球——

只找到三顆？
特雷本，你從
沒失敗過。

──你多找到的
那顆，一定是先
前跑宗師之路的
人留下來的。

誰知道呢，
說不定是我留下
來的呢。我跑的
時候只找到
**三顆**。

其他宗師認為我
和你有瓜葛就是
失敗了呢。

但我不
這麼認為。

你還保有自己的
力量。說到這
點，關於成為一
位宗師，有件事
你得知道。

絕對不要穿綠色
長袍配金色紗胥
帶嗎？這我
知道。

等你拿到金色紗
胥帶我們再說吧。

你的父親因為
你而相當煩躁呢，
年輕的坎頓。

但現在牠死
了，宗師之路
也永遠毀了。

「你不該**殘殺**被困在那裡
這麼久的深沙蟲。幾百
年來，牠可是
宗師之路的核心啊。」

毀得好啊。
那東西從沙中
衝出來時，我
差點被嚇死。

9. Traid'Ka，克茲塔語的祝福語。

日殿幾乎所有的人都
來見證宗師主授銜給
最新加入的成員。

今天,營區因為我宗師
之路成功的消息而一片
喧騰。不只有那件事,
還有別的。

現在讓我們開始吧，艾洛林次宗師。

集會中的每位御沙師共享一杯水，使我們成為一體，水也會視情況需要加滿。

在傳遞水杯的同時，宗師主則開始發放不同階級的紗臂帶。裡面沒有金色的。

今天不會有新宗師晉升。

我們齊聚一堂，表彰我們的成功，並為我們之中獲得晉升的人賦予階級。

瑞恩代爾，工匠凱許代爾之子，請上前。

你被賦予的階級為次少師，收下這條紗臂帶，接受你的晉升吧。

但我不會。我會拒絕晉升，繼續丟臉地再當一年的學從。

請向前……

……德萊歐，日殿之宗師。

沒有宗師像德萊歐那樣狂妄自大，他甚至不願和我們分享一杯水。

到了儀式尾聲，只剩下一條紗臂帶還在——代表殿分師的藍色。那麼，那就是我的了。比我實際想的階級更高。我應該要接受。

什麼？德萊歐？

77

德萊歐，你被賦予的階級為殿分師，收下這條紗胥帶，接受你的**降階**。

我無法相信你，德萊歐。如果我將你除名，對於你是否會遵守日殿律法與停止使用你的力量，我深感懷疑。用這種方式我可以繼續監視你。

這種事前所未聞。在日殿的歷史中，從沒有御沙師被降階過。

收下紗胥帶，去加入你的階級吧，德萊歐殿分師。

就這樣，我父親羞辱了全日殿唯一有一天可能與他抗衡的人。

坎頓，帕克斯頓之子，請向前。

這就是讓帕克斯頓大人成為領袖的原因——他純粹的意志力。我唯一遺傳自他的特質……

……儘管他真正希望我能遺傳到的，是他在御沙術的成就。

那條紗胥帶就像在嘲諷我。是灰色的，比他昨天提議賦予我的分師階級還低。

看起來德萊歐不是我父親今天唯一打算羞辱的人。

這根本不合理。

落沙和克茲塔之間已經數百年沒有發生戰爭了。的確，他們認為御沙術是不聖潔的，但比起任何懼怕黑暗的日面人，他們更怕御沙術。

他沙的，究竟是什麼原因讓他們同時攻擊我們這麼多人？

受操御的沙子碰到血沒多久就失去能量而下墜。

但一瞬間就足夠了。

我本能地做出反應，箭矢粉碎，好像它們只不過是玩左肯時拿來拋丟的小圓盤。

御沙術是沙塵之上最危險的武器。

但我們已經幾百年不需要保衛自己了。

我們又老又慢，就像花太多時間在陰涼處睡午覺、吃主人桌上剩飯的沙狐。

11. DaiKeen，可林教信徒加入的氏族團體。

我們的攻擊應該要是氣勢磅礴又強大。那才是日殿的作風。但才僅僅戰鬥幾分鐘後，就連宗師也很勉強才能操御幾條沙帶。

*咳咳*

我只需要一丁點水就能維持我的一條沙帶，但我喉嚨乾燥，呼吸也很痛苦。我脫水的速度比平常還快。

我們正過度操御，逐漸脫水，像沙塵般傾頹瓦解。

就連新手御沙師都知道要如何預防過度操御。到底是怎麼回事？

很久以前，有一對手足——洛沙（Lossa）和她的兄弟克茲（Kerzt）——他們兩人都聲稱曾被沙之主造訪。造訪的結果有待討論。

克茲塔人宣稱洛沙受到御沙術的詛咒，克茲本著他的正義感，試圖殺死她來終結對沙之主的污辱。落沙人主張洛沙受到祝福，得到了沙之主本身的力量，而克茲出於嫉妒才試圖謀殺她。洛沙因此逃到沙漠，最終創立落沙之國。

之後的幾個世紀，大多數克茲塔人在民族上維持純淨，落沙人則和外線諸國的人民互相結合、婚配。

克茲與洛沙的傳統畫像

## 可林教與落辛教

一般認為所有克茲塔族人都信奉由大祭司艾卡（A'kar）所領導的可林教。落沙人的沙之主崇拜形式——落辛教（Los'seen）——比起宗教系統，更像是種哲學。事實上，對於宗教，有很多落沙人是不可知論者。大部分情況下，落沙人若想信奉更有系統的宗教，就必須改信可林教，但落沙人傳統上會被視為次等成員。

反之，那些住在落沙的克茲塔人有時受成見影響，和住在克茲塔的人相比，會被認為他們的可林教信仰不太正統。

## 戴金

每個可林教的追隨者會在額上佩戴符號——刺青、首飾、頭巾——來表示他們的戴金，有點像是你可以選擇成為一員的氏族。可林教成員首先要效忠自己的氏族，甚至優先於對國家的忠誠。

### 一些戴金符號

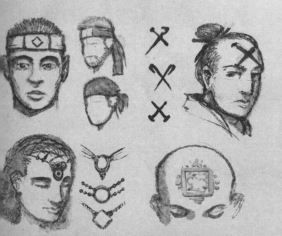

 農夫

 工匠

 商人：時常會刻在拉克硬幣上，然後戴在額前

 武士：兩側各有細線則代表刺客

 祭司：唯一可以用疤痕代替刺青或頭巾的戴金

儘管日面的信仰體系之間存在著差異——他們終歸都是崇拜太陽、白沙或其化身——有一點很難否認：太陽是日面所有力量的來源。我懷疑太陽、沙蟲和牠們不靠水就能維生的能力之間有某種關聯。

CHAPTER 3

第三章

貨幣

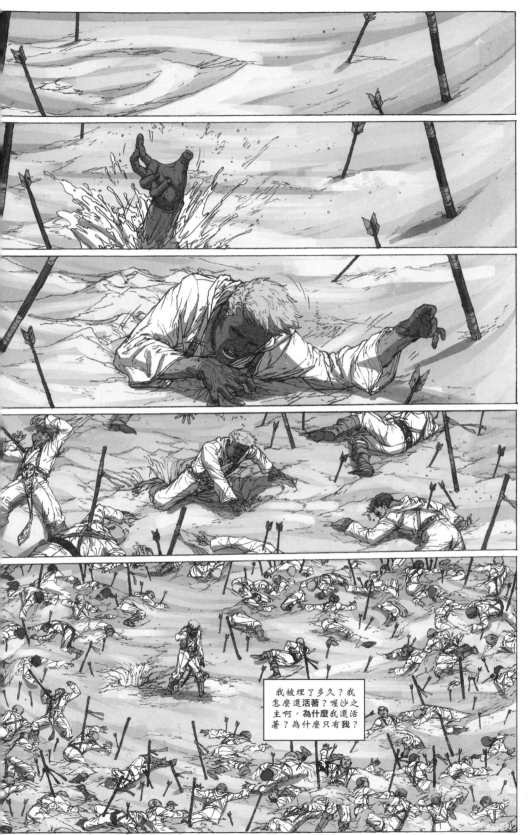

聲音把我吵醒了。

她說每個帳篷都要搜，但我不覺得這一個會有什麼不同。

去做就對了，教授。

好啦，好啦……

好熟悉的話語。母親？

是您教我說那些話語。

但您已經不在很久了……

這些穿長袍的屍體身上完全沒有武器，而且他們的敵人——無論這些敵人是誰，一定也帶著他們自己的死者離開了。

真是些原始的傢伙——

我真是受夠你了，艾奎恩。你在帳篷外等著。

教授，許多社會的戰鬥方式並不像王朝，有著所謂「文明」的限制。

穿長袍的人是被他們的敵人突襲。難怪這是場屠殺。

等等。

他還有呼吸。

教授，快通知公爵夫人。

好的，隊長。馬上去，大人。

我親愛的朋友，你對戰爭了解甚多啊。當然，這就是你的職責，對吧！

再見了，父親。
再見了，特雷本。
再見了，朋友們。

怎麼會發生這種事？為什麼會這樣？

克茲塔仇恨御沙師已經好幾個世紀了，但他們為什麼突然決定將我們趕盡殺絕？

我們變得軟弱，我們變得太過鬆懈。就戰術而言，這的確是攻擊的好時機。

我的警告沒有被重視，但我從不希望像這樣證明我是對的。

除此之外，他們還找到了一個同夥——一個在日殿暗中幫他們的人。此人對宗師們下毒，讓我們毫無防禦。

唯一一個像我一樣希望改變日殿的御沙師：德萊歐。

我們該走了，日面人。

但首先……

「……先來自我介紹一下吧。」

所以，貝昂隊長，你們怎麼會在這裡迷了路，還沒了嚮導？

簡而言之：**背叛**。

我們當中有些人慌了，縊死嚮導後跑走，我們因此失去食物和飲水。我們需要物資，你可以協助我們嗎？

我想可以。

距離最近的邊境村莊，大約是往那方向兩天的路程。

你是猜的吧。你看到了我的地圖，試圖讓人以為你知道自己在做什麼，所以我們不會把你丟在這裡。

是的，克里絲薩拉公爵夫人。我的確看到妳的地圖了，足夠讓我知道它不僅過時還不準確。

那好吧，你怎麼知道該走哪一條路？

當你的一生太陽都高掛在同一處，你就會變得對它的變化十分敏感。它應該要位於空中較低的位置，而且稍微偏東一點。

但你是怎麼區分東西方的？這裡除了山，沒有其他的地標可言。

至少她現在是在問**你**，而不是問我。

妳問題還真多啊。

113

但你很幸運我願意和你們這種人交易。

城裡的其他人可不會那麼心胸寬大，是吧？

朋友，你這什麼意思？你們之前從不會拒絕和我們的人交易啊。

艾夏的。他認出我的御沙師長袍了。但我沒有其他衣服可換……

時代不同囉。現在可不是和瑞肯沙做朋友的好時機。你懂嗎？

好。那就四十吧，但我想要情報。是什麼改變了？為什麼克茲塔武士會突然攻擊御沙師？

坎頓，到底怎麼了？我們有些人就快要餓死了。

小心斟酌你的用詞，亦沙[1]。耳目無所不在呀。來──

──看到了嗎？

他是要我們離開嗎？

還沒。他在給我看一些東西。我之後會跟妳解釋，我保證。

「朋友，看到了嗎？他們是士兵──武士戴金。你看他們頭上。那不止是刺青，也是疤痕。」

原文為「eedsha」。

115

但是，用留疤的方式是……

**祭司戴金**。沒錯，很奇怪吧？新的**艾卡**，他創立的。

有些人甚至加上了代表祭司的方框，來更加表明他們的忠誠。

戴金——不單只是可林教中的天職。更像是你可以選擇成為一員的氏族。

埋伏我們的武士有著同樣的刺青和疤痕。

很奇怪。有著士兵的符號，但又有祭司的疤痕。那不是好事。

我們商人戴金很擔心啊。新的艾卡十分受歡迎，他宣稱沙之主很滿意他消滅了你的同伴。

而且**大選的時刻**很快就會來臨……

但是商人戴金已經穩坐好幾個世紀的王位了。大商主應該沒什麼好擔心的。

也許吧。尤其是艾卡有件事做錯了。不是所有瑞肯沙都死了，有一些還活著。

還有其他人？你見過他們嗎？

他們三天前有經過這裡。十幾個男人和女人。

十幾個。原來我並不是唯一的生還者！

並非我們所有人都樂見艾卡稱王。所以我會和你交易。你買了食物就回到落沙吧。

沙之主取走我的靈魂吧，但我和艾卡不同的是，我並不尋求你們的毀滅。

117

搞什麼沙的？
是一場埋伏！

——而且我猜得到他們要找的是誰。有著閃亮金色紗胄帶的御沙師。

好吧，如果他們這麼想和一個宗師對打——

他們會如願以償……

我展開思緒，呼喚沙子。

但我無法建立聯繫，無法喚醒沙子的生命。

我的御沙能力……消失了。

121

CHAPTER 4

第四章
分化

日殿，御沙師居所

日殿的建築群一直以來都是個謎。由永不磨損的白色砂岩組成，是個象徵已故御沙師的力量、技巧與機智的紀念碑。

御沙師的力量，如這些建築般，看似互古永恆。然而，我們現在竟遭受如此背叛，潰不成軍。

哈囉？

# 天職

塔辛 (Taishin) 為落沙的統治者，落沙也由塔辛委員會治理，而塔辛委員會是由八位塔沙 (Taisha) 所組成，各天職主與夫人是八種公認天職的領袖。委員會的每位塔沙都代表著一部分的落沙人民，雖然每個天職都有總部，而它們在落沙各大城市也有分部。

### 御沙師之日殿 (The Diem of the Sand Masters)
領導人：宗師主 * 總部：日殿
御沙術

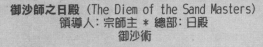

### 法官、追警與書吏之廳堂 (The Hall of Judges, Tackts, and Scribes)
領導人：大法官 ( High Judge) * 總部：裁決廳
書寫、律法、維安

### 商人公會 (The Guild of Merchants)
領導人：商主 (Lord Merchant) * 總部：黃金市場 (The Golden Market)
貨幣兌換、貸款、批發

### 塔樓士兵 (The Tower of Soldiers)
領導人：將軍主 (Lord General) * 總部：塔樓警備隊 (The Tower Garrison)
落沙軍隊

### 石匠工廠 (The Company of Masons)
領導人：石匠夫人 (Lady Mason) * 總部：石匠總部 (The Mason Headquarters)
石匠、建築工人、礦工；部分事務和工匠重疊

### 農人田野 (The Field of Farmers)
領導人：農主 (Lord Farmer) * 總部：農人協會 (The Farmers Congress)
凱爾辛地主與在那工作的人們

### 工匠草圖 (The Draft of Artisans)
領導人：工匠主 (Lord Artisan) * 總部：工匠中央工作室 (The Artisan Central Studio)
工匠與手藝職人

### 船東舵輪 (The Helm of Shipowners)
領導人：上將主 (The Lord Admiral) * 總部：舵手之息 (Helm's Rest)
儘管使用「上將」頭銜，其目的為商業用途，而非軍事
與商人關係密切，也常發生爭執
受船東圈 (the Shipowner's Circle) 管轄

上述部分天職擁有次天職，特別是工匠草圖，其涵蓋了木工、鞋匠到醫學與繪畫間的所有職業。

塔辛委員會的領導者通常以其頭銜稱呼，頭銜前會加上尊稱「大」(High)。目前是由大法官擔任委員會的領導者，但假若領導者是位商人，那他則會被稱作大商主 (the High Merchant)，以此類推。

有一位非官方的第九位塔沙，也就是乞丐主 (The Lord Beggar)。他的權力之所以受到認可，是因為他在落沙工人階級與窮人之間的影響力很大。因為嚴格說來他並不是塔沙，他在委員會中亦沒有投票權。

在落沙，有一種上層階級叫做凱爾辛 (Kelzin，單數型為凱爾茲 [Kelzi])，此階級由深具影響力的各天職成員、公務員、富有的地主與船主，以及一些商人與士兵組成。在克茲塔則是可禮恩 (Klin，單數型為可禮 [Kli])，一種由可林教教會的神權政體所授予的頭銜，可世襲繼承，和暗面國家的貴族頭銜十分類似。

CHAPTER 5

第五章

妥協

首先，我承認我們變得懶散、自鳴得意又狂妄自大。

更別說有多耗費公帑！幾十年來，我們不得不資助你們愚蠢的越軌行為，而你們這些瑞肯沙卻沒有給予任何回報。

而事實就是如此，我們相信能保護我們的力量之一，竟無法保護**他們自己**。

克茲塔人就在邊境外揮舞刀劍，落沙拿來資助御沙師的資金最好改用在塔樓天職和其士兵身上。

沒錯，我的天職的確有問題，但這樣處理日殿的問題，在他們最黑暗的時刻拋棄他們，是懦弱的展現。

現在是**捍衛**日殿的時候，希里絲法官。

我們應該要放逐你們這種人，禁止你們使用那**不神聖**的技藝。

非伊大人，所以您的建議是？

要像獵捕深沙蟲一樣獵捕御沙師嗎？把落沙變成一個充滿恐懼和歧視的國家？

非伊大人，御沙術不是自發性的。如果沒有在大眾裡測試揀選，只要一個世代內，就不會**再**有御沙師了。

解散我們的天職並不會讓你們因此**擺脫**我們，只會讓我們**支離破碎**。而且，倘若沒有日殿的律法來約束我們，很多人會選擇把自己的能力出售給喊價最高者。

由御沙師組成的各傭兵團會自相殘殺，白沙會因人民和御沙師的鮮血而轉黑。

而您也忽略了很重要的一點。倘若瓦茲塔人對御沙師，也就是落沙的第一道防線發動攻勢，將來是否會發生規模更大的攻擊？

將軍主，你怎麼說？

我會命令塔樓士兵增強戒備，尤其是艾卡得到王位的話。

大人、夫人們，就因為某個工具在過去曾被濫用，我們就該對它棄如敝屣嗎？

啊，這不僅僅是錢的問題。是有關於**權力**。他們害怕自己無法控制的東西。

在御沙師衰弱的此刻，就是讓我們變得更好的時機——而不是把我們往沙子裡埋。

至少給我們一個改變的**機會**。在廢除我們之前，讓我們證明自己的價值。

年輕的坎頓，假若一項技能——即使是像御沙術般強大技能——沒有帶給人們任何好處，這樣仍值得費力保留嗎？

更不用說有多**危險**。

年輕的坎頓，你辯論得當。但恐怕你的發言來遲了。該是塔辛投票的時候了。

我的塔辛同伴們，關於解散日殿一事，你們是贊成或反對？

將軍主，從你開始。

解散。

解散。

解散。

解散。

解散他們那不神聖的天職。

非伊大人投了解散，所以我投相反票——保留日殿。

只剩下您了，希里絲法官。

我同樣投解散一票。

這並非我首次感受到失敗的痛苦，但今天我還感受到另一種重量——在為了成為宗師的奮鬥過程中，我所得到的報償是先前沒注意到的：**責任感**。

我不只讓日殿僅存的成員失望，我也讓特雷本與我父親失望了。

我不接受。

不。

147

蓋文死了。很久以前就得知這消息，我也已不再想他了。我來這裡，是要找他生前在尋找的武器。

……妳沒喝妳的茶呢，公爵夫人。我以為伊里斯人喜歡肉桂。

的確，但我從來就不喜歡太燙口的茶。

很明智——

——妳不會想要燙傷自己。

洛潭失勢之前，他是皇帝的首席外交大臣。就宮廷裡盛行的那些隱晦話術而言，他可以說是大師。他在提醒我有危險。

在蓋文死後，他的語言學家捎信給我。蓋文已經**找到**他在尋找的東西——沙巫，很可能就是推翻王朝的關鍵。你知道他們嗎？

知道一些。

不過我不想讓皇帝有理由找到我，完成他五年前沒完成的事。

胥拉啊，洛潭。我就**知**道你見過他。

還算見過。

你稱他為蓋文，而不是他的全名蓋夫登。他請人們稱呼他蓋文，但僅限於非正式場合……

……例如在一間舒適的房間裡，還坐在爐火前。

而我還聽說妳應該要很不擅長這種事的。

沒錯，在史卡森的刺客殺了蓋文和他的助手威罕之前，我見過他們，他們在一週內相繼遇害。但那已發生好一段時間了。

151

153

但僅此一次。

他不會讓同樣的
事情再次發生。

放下金色紗胥帶，
德萊歐。你和你的
追隨者就此被分配
到底層的房間。

我⋯⋯我就像我父親。
我來找過宗師主多少次，
提出合理的問題，
卻只被力量展示而打發？

但是，不。
德萊歐值得這個
下場──他畢
竟是叛徒──但
為什麼感覺如
此⋯⋯
不對勁？

CHAPTER 6

第六章
挑戰

人群減慢了拉孟恩的速度。

在追擊中的追警面前，人群像散沙一樣分開。

走開！別擋在路上！這是公務！

投降吧，拉孟恩！你無路可逃了。

總是有地方可以逃的，艾伊絲，妳這骯髒的**憎沙**。

沙之主給我自律的力量。

憎沙——叛徒。許多可林教信徒認為，我無法同時服事落沙法律與沙之主。

無論是死於辛考還是劍下，我都要看著妳死，叛徒艾伊絲！

他們錯了。

只要法律對克茲塔人和落沙人、可林教和落辛教皆公平對待，那就不是偽善，不是假的公義。

身為追警，讓我得以服事沙之主的律法。

身為追警，讓我能夠導引我的憤怒。

鏘

今天失去的追警還不夠多嗎？妳的突襲根本是場**大屠殺**。

你折磨托克爾大人。你**謀殺**了他的家人和我的**六名**追警。

我常跟特雷本說，宗師解決問題的方法總是很粗俗。朝著問題丟足夠的沙帶——足夠的**力量**——就能解決問題。

為了遏止這種思維，我想成為一位宗師。

但當我得到一些力量就立刻碰到問題時，該怎麼辦呢？

就像朝問題丟沙帶般，我利用我的階級，試圖希望問題會因此消失。

我不該讓戴林說服我這樣做的。對於領導眾人，我又知道什麼？

我一輩子都在挑戰領導我的人。

挑戰我父親

171

希里絲法官，這麼晚了您怎麼會來我辦公室？

我聽說妳今天的行動很成功。

我失去了六位追警，有五人還因此受傷，將好幾個月無法執勤。

我們抓到了拉孟恩，但他拒絕透露有關薛贊的消息。

在證明薛贊和尼爾托是同一人的這件事上，我毫無進展。

妳一定要這麼拘謹嗎？我們都已經認識十八年了──請坐下吧。

是的，法官大人。

……而且當我屈服於自己的憤怒時，拉孟恩差點就能殺了我。希里絲法官知道嗎？

不。她不知道。不可能的。除非拉孟恩……

我有項任務要給妳。只會花妳兩週的時間，之後妳就可以回去追捕薛贊。

我猜，妳應該有聽說今天的判決？

有的。

這個代理宗師主是個大變數。我還無法決定他究竟是會造福落沙，或者毀了落沙。

175

去找他。跟他說我擔心他的安危，所以希望有個追警保護他。

他不會相信的，法官大人。御沙師不需要追警的保護。

他不需要相信。他只需要讓妳跟著他。坎頓的處境是沒辦法拒絕我的要求的，即使像這種在他身旁安插**眼線**的要求。

監視他，艾伊絲。看看他成為了怎樣的人。孩提時的他既魯莽，又對權威充滿敵意……

……而這兩點在我看來，都不是塔沙候選人**吸引**人的特質。

妳觀察到什麼都向我回報，告訴我妳的看法。

法官大人，妳知道我對他的看法會是如何。

妳對御沙師的厭惡眾所周知——但妳對法律的公正性亦然。

妳的工作是要以追警的身分觀察他，而非可林教信徒。妳了解嗎？

我了解。

我相信妳，艾伊絲。妳或許是整個廳堂中我最信任的人。幫我留意這個宗師主男孩。

噢還有，艾伊絲，回家休息吧。妳的文書工作可以改天再做。

是的，法官大人。

我都不確定是否能相信自己了，她怎麼能夠相信我？

保護這個宗師主，我最痛恨的存在。我抑制我的憤怒，想起救了我的那個男人是如何與拉孟恩對打。既不費力，又沒有絲毫憤怒。

沙之主向我展示那一幕是有原因的。我能像風中的沙粒般流動，能用敵人的衝力對抗他，然後，沙之主會為我而戰。

我往家的方向前進，腦子被黑暗的想法佔據。隨著步伐，憤怒在我體內生起。詛咒御沙師，詛咒他們的新領袖。我失去兩週可以調查薛贊一案的時間。

快停止。我深深呼吸，導引逆境。沙之主啊，讓憤怒流經我的身體，助我平息這頭野獸。

沙之主啊，助我的想法符合祢的旨意。我是個愚昧之人。若我在不經意中為違反祢的律法而辯解，我將會背棄那條路。

媽媽！

梅蓉妮！孩子，見到妳真好，但妳不是應該要睡覺了嗎？

僅是看女兒一眼，我的憤怒消散了，野獸也開始退卻。在那短暫的一刻，我感到平靜。

她熬夜等妳呢。

媽咪，我很怕妳沒回家。

喔，小姑娘。我現在到家了，妳可以不用擔心了。

妳一定很累了！去睡覺吧，親愛的。

好的，媽媽。

177

你看起來像剛吞了一隻深沙蟲。

你還記得**德萊歐**嗎?

高個子、自負、很煩人的那個?

就是他。

我似乎記得所有人都認為他是**完美的御沙師**。

少來。德萊歐不是日殿最優秀的人才,而是叛徒?

曾經是。現在他只是個叛徒。

我真希望知道事情怎麼發生的……問題一定是出在**水**。

水?

「在晉升儀式開始前,我們傳遞著一碗儀式用水,每個人都會喝一口。」

接著,宗師主會發放紗晉帶給最年長的學從。就在我晉升之際,克茲塔人發動攻擊了。

我們本該要能保護自己的,但出了差錯。

我們正要回擊時,所有人的沙子突然變得焦黑死去,他們體內的水分被吸得一乾二淨。

「沒有時間補充水分……很多人脫水、紛紛倒下,就像……就像……」

……能量被耗盡的沙。

當輪到德萊歐喝儀式用水時,他拒絕了。

他知道他那天要接受審判──事實上,我父親撤銷了他的宗師身分。

德萊歐一定是和克茲塔人達成協議,對我們下毒,所以他們才會在我們御沙能力減弱時發動攻擊。

等等,這水有多大碗?儀式上不是有好幾百位御沙師嗎?

那麼毒藥應該在第一輪之後就沒了。

傳遞水碗時我們也會適時加水。

也許他只需要對宗師下毒……?

好吧……我知道這理論並不完美,但一切都指向德萊歐。

他不僅沒喝水,還活了下來。

啊沒錯──他怎麼可以這麼笨,還活下來了呢?

小心點,坎頓──克茲塔人在拼圖時可不只有一種拼法……

第五十四天，第六時辰。雖然我們下榻的旅店稍嫌遜色，但感謝神聖的，這是我這幾週以來首次睡在床上。

「早上好，公爵夫人……我想應該是早上吧，至少現在街上人更多了。」

「我們今天有什麼計畫？」

我們去找最上層吧。如果這裡有沙巫，落沙的統治者一定知道他們。坎頓和洛潭都有提到塔辛。

塔辛是指落沙天職的八位領導人。當中有些人擁有更大實權，而有些則更……平易近人。

喔，胥拉的。

我一定是打包太滿了。這鎖頭都壞了。

我來看看吧。

但我不懂你為什麼需要用這麼複雜的鎖來鎖衣物。

艾奎恩借我的。他有各式各樣的鎖。

妮提思，妳能帶貝昂和我去找這些塔辛嗎？教授們會留下來幫我們安排更合適的住宿。

裁決廳

他們說不用等很久——

那就好。

——然後大法官三週後會和妳會面。

塔樓警備隊

他們說將軍主剛出發去打獵,接下來十二天都不在。

十二……天?

舵手之息

上將主正在「執行視察任務」,這是他「喝太多酒而昏死在某處」的代號。

那讓我們預約稍後的時段吧。

很不幸的,負責預約的人員也在執行視察任務。

公會之黃金市場

商主會立刻見妳……只要妳付兩千拉克的處理費。

兩千——?

農人協會

農主正在監管收成配額，無法和任何人會面。

直到⋯⋯什麼時候？

工匠中央工作室

工匠主的助手目前找不到他。公爵夫人，顯然當工匠主在忙專案時，這種事常常發生。

抱歉。

石匠總部

恐怕——

*嘆氣*算了。

星辰啊，公爵夫人，妳修好了！

你的鎖是我今天唯一修好的東西。我們甚至無法和任何一位塔沙**說**到話。

妳說有八個塔沙，妮提思。我們試了七個——第八個是誰？

宗師主？

宗師？

用王朝語很難解釋。他們是聖潔的男人和女人，只是並不聖潔。他們有新領袖，但我不覺得他會在位很久。

有時候新任領袖會比在位很久的還來得變通。

妮提思，我們今天還有最後一站。妳能帶我們去找這個宗師主嗎？

184

# 中英名詞對照表

Lord Artisan　工匠主
Lord Beggar　乞丐主
Lord General　將軍主
Lord Farmer　農主
Lord Mastrell　宗師主
Lord Merchant　商主
Los'seen　落辛教
Lossa　洛沙
Lossand / Lossandin　落沙 / 落沙的；人
Lraezare　勒瑞薩雷

## M

Marken　媽肯
Mason Headquarters　石匠總部
Mastrell　宗師
Mastrell's Path　宗師之路
Mellis　梅里斯
Melloni / Melly　梅蓉妮 / 小梅
Moril　莫莉

## N

N'Teese　妮提思
NaiMeer　奈梅爾
Napthani flame　內薩尼之火
Nilto　尼爾托
Nimmyn　寧敏
NizhDa　尼茲達
Nor'Tallon　諾塔倫
Nor'Tallon River　諾塔倫河
Northern Border Ocean　北邊疆海

## O

overburn　過度燃燒
overmaster　過度操御

## P

Particulate Cloud　粒子雲
Portside　左舷區
Praxton　帕克斯頓
Profession　天職

## Q

qido　契多

## R

Raagent　雷金
Reendel　瑞恩代爾
Reveln　瑞維恩
Reven　雷溫
rezal / rezalin(pl.)　雷薩爾 / 雷薩爾林(複數)
Rile　萊歐
Rim Kingdoms　外緣諸國
Rite　萊特
Ry'Kensha　瑞肯沙
Ry'Do Ali River　瑞多阿里河

## S

sand bag　沙包
sand fox　沙狐
Sand Lord　沙之主
sand mage　沙巫
sand master　御沙師

sandling　沙蟲
sash　紗胥帶
Scooch　史庫琪
Seevis　希維司
senior trackt / senior　資深追警 / 前輩
Serin　瑟林
shalrim　沙苓
Sharezan　薛贊
Shella　胥拉
Shipowner's Circle　船東圈
Skathan　史卡森
Southern Border Ocean　南邊疆海
Starcarved　星刻
starmark　星痕
Starside　星面
Stumpy　缺缺

## T

Tain　泰恩
Taisha / Taishin(pl.)　塔沙 / 塔辛(複數)
Taishin Council　塔辛委員會
Taldain　泰爾丹
Tallon　塔倫
Tarn　湯恩
terha / terhan(pl.)　拓哈 / 拓罕(複數)
terken　拓殼
Terminal Storm　末代風暴
Tiaoc　提亞克
Tonk　苳施獸
Torkel　托克爾
Torth　托斯
Tower Garrison　塔樓警備隊
Tower of Soldiers　塔樓士兵
trackt　追警
Traiben　特雷本
traid'ka　崔德卡（祝福語）
Trell　特雷

## U

Underfen　次分師
Underlestrell　次少師
Undermastrell　次宗師

## V

Vennin　維寧
venonleech　毒蛭
Vey　非伊

## W

Wilhelm　威罕
Wombears　甕熊

## Y

Yeeden　伊登

## Z

ZaiDon　宰東
zensha　憎沙
zinkall / zinkallin(pl.)　辛考 / 辛考林(複數)
Zo'Ken　左肯

國家圖書館出版品預行編目資料

白沙・卷1/布蘭登・山德森（Brandon Sanderson）
作；林雅儀譯 .— 初版 .— 臺北市：奇幻基地出版：
城邦文化事業股份有限公司出版：英屬蓋曼群島
商家庭傳媒股份有限公司城邦分公司發行，
2024.02
面；公分 . -（Best 嚴選；157）
譯自：White Sand
ISBN 978-626-7210-90-1（平裝）

城邦讀書花園
www.cite.com.tw

**BEST 嚴選 157**

白沙・卷1

原 著 書 名／White Sand Vol. 1
作　　　者／布蘭登・山德森（Brandon Sanderson）
譯　　　者／林雅儀
企畫選書人／王雪莉
責 任 編 輯／劉瑄
版權行政暨數位業務專員／陳玉鈴
資深版權專員／許儀盈
行銷企畫主任／陳姿億
業 務 協 理／范光杰
總 編 輯／王雪莉
發 行 人／何飛鵬
法 律 顧 問／元禾法律事務所　王子文律師
出版／奇幻基地出版
　　　城邦文化事業股份有限公司
　　　台北市 115 南港區昆陽街 16 號 4 樓
　　　電話：(02)25007008　傳眞：(02)25027676
　　　網址：www.ffoundation.com.tw
　　　e-mail：ffoundation@cite.com.tw
發行／英屬蓋曼群島商家庭傳媒股份有限公司城邦分公司
　　　台北市 115 南港區昆陽街 16 號 8 樓
　　　書虫客服服務專線：(02)25007718・(02)25007719
　　　24 小時傳眞服務：(02)25170999・(02)25001991
　　　服務時間：週一至週五 09:30-12:00・13:30-17:00
　　　郵撥帳號：19863813　　戶名：書虫股份有限公司
　　　讀者服務信箱 e-mail：service@readingclub.com.tw
　　　歡迎光臨城邦讀書花園　網址：www.cite.com.tw
香港發行所／城邦（香港）出版集團有限公司
　　　香港九龍九龍城土瓜灣道 86 號順聯工業大廈 6 樓 A 室
　　　電話：(852) 2508-6231　傳眞：(852) 2578-9337
　　　e-mail：hkcite@biznetvigator.com
馬新發行所／城邦（馬新）出版集團
　　　【Cite(M)Sdn Bhd】
　　　41, Jalan Radin Anum, Bandar Baru Sri Petaling,
　　　57000 Kuala Lumpur, Malaysia.
　　　Tel: (603) 90563833　Fax:(603) 90576622

封面設計／朱陳毅
排　　版／芯澤有限公司
印　　刷／高典印刷有限公司
■ 2024 年 2 月 2 日初版

售價／420 元

115 台北市南港區昆陽街 16 號 8 樓

**英屬蓋曼群島商家庭傳媒股份有限公司城邦分公司** 收

-------------------------------------------

請沿虛線對摺，謝謝

每個人都有一本奇幻文學的啟蒙書

奇幻基地粉絲團：http://www.facebook.com/ffoundation

書號：**1HB157**　　　　書名：白沙．卷 1

# ｜奇幻基地・2024山德森之年回函活動｜

**好禮雙重送！入手奇幻大神布蘭登・山德森新書可獲2024限量燙金藏書票！**
**集滿回函點數或購書證明寄回即抽山神祕密好禮、Dragonsteel龍鋼萬元官方商品！**

【2024山德森之年計畫啟動！】購買2024年布蘭登・山德森新書《白沙》、《祕密計畫》系列（共七本），各書隨書附贈限量燙金「山德森之年」藏書票一張！購買奇幻基地作品（不限年份）五本以上，即可獲得限量隱藏版「山德森之年」燙金藏書票；購買十本以上還可抽總值萬元進口龍鋼公司官方商品！

**好禮雙重送！「山德森之年」限量燙金隱藏版藏書票＆抽萬元龍鋼官方商品**

**活動時間：2024年1月1日起至2024年10月30日前（以郵戳為憑）**
**抽獎日：2024年11月15日。**
**參加辦法與集點兌換說明：** 2024年度購買奇幻基地任一紙書作品（不限出版年份，限2024年購入），於活動期間將回函卡右下角點數寄回奇幻基地，或於指定連結上傳2024年購買作品之紙本發票照片／載具證明／雲端發票／網路書店購買明細（以上擇一，前述證明需顯示購買時間，連結請見奇幻基地粉專公告），寄回五點或五份證明可獲限量隱藏版「山德森之年」燙金藏書票，寄回十點或十份證明可抽總值萬元進口龍鋼公司官方商品！

## 活動獎項說明

■ **山神祕密耶誕好禮 +「寰宇粉絲組」（共2個名額）**
布蘭登的奇幻宇宙正在如火如荼地擴張中。趕快找到離您最近的垂裂點，和我們一起躍界旅行吧！
組合內含：1. 躍界者洗漱包 2. 躍界者行李吊牌 3. 寰宇世界明信片 4. 寰宇角色克里絲別針。

■ **山神祕密耶誕好禮 +「天防者粉絲組」（共2個名額）**
衝入天際，邀遊星辰，撼動宇宙！飛上天際，摘下那些星星！組合內含：1. 天防者飛船模型 2. 毀滅蛞蝓矽膠模具 3. 毀滅蛞蝓撲克牌 4. 寰宇角色史特芮絲別針。

## 特別說明

1. 活動限台澎金馬。本活動有不可抗力原因無法執行時，主辦單位有權決定取消、中止、修改或暫停本活動。
2. 請以正楷書寫回函卡資料，若字跡潦草無法辨識，視同棄權。
3. 活動中獎人需依集團規定簽屬領取獎項相關文件、提供個人資料以利財會申報作業，開獎後將再發信請得獎者填妥資訊。若中獎人未於時間內提供資料，主辦單位有權取消得獎資格。
4. **本活動限定購買紙書參與，懇請多多支持。**

## 個人資料：

姓名：＿＿＿＿＿＿＿＿ 性別：＿＿＿＿ 年齡：＿＿＿＿＿ 職業：＿＿＿＿＿＿ 電話：＿＿＿＿＿＿

地址：＿＿＿＿＿＿＿＿＿＿＿＿＿＿＿＿＿ Email：＿＿＿＿＿＿＿＿ □ 訂閱奇幻基地電子報

想對奇幻基地說的話或是建議：＿＿＿＿＿＿＿＿＿＿＿＿＿＿＿＿＿＿＿＿＿＿